Sonne, Mond und Sterne

Lesealter ab 7/8
Große Schrift
Bekannte Autoren
Viele farbige Illustrationen

Christine Nöstlinger
Fußballgeschichten vom Franz

Bilder von
Erhard Dietl

Verlag Friedrich Oetinger · Hamburg

In der Reihe „Sonne, Mond und Sterne"
sind noch 16 weitere Bücher vom Franz erschienen, zuletzt

Quatschgeschichten vom Franz
Neue Fußballgeschichten vom Franz
Franz auf Klassenfahrt

Sammelband
Franz. Allerhand und mehr

Geschichten vom Franz sind auch auf CD/MC
bei *Oetinger* ► *audio* erschienen, zum Teil als Autorenlesung
von Christine Nöstlinger selbst erzählt.

© Verlag Friedrich Oetinger GmbH, Hamburg 2002
Alle Rechte vorbehalten
Einband- und Reihengestaltung: Ralph Bittner und Manfred Limmroth
Titelbild und farbige Illustrationen: Erhard Dietl
Reproduktion: Domino Medienservice GmbH, Lübeck
Druck und Bindung: Mohn media · Mohndruck GmbH, Gütersloh
Printed in Germany 2007
ISBN 978-3-7891-0592-0

www.oetinger.de

MAMA + PAPA + JOSEF
+ GABI + EBERHARD

= ♥♥♥♥♥

Was man vom Franz wissen sollte

Der Franz Fröstl wohnt mit seiner Mama,
seinem Papa und seinem großen Bruder,
dem Josef, in der Hasengasse.
Er hat eine Freundin und einen Freund.
Seine Freundin ist die Gabi, sein Freund
ist der Eberhard.
Die Gabi wohnt im Haus vom Franz, gleich
nebenan, und der Eberhard sitzt in der
Schule neben dem Franz am Pult.

Die Gabi geht nicht in die Klasse vom Franz. Sie ist in der 2a. Der Franz ist in der 2b.

Der Franz hat den Eberhard sehr gern, aber die Gabi hat er noch lieber. Obwohl die Gabi oft gar nicht nett zu ihm ist. Wenn sie sich ärgert, kann sie sogar richtig eklig werden. Dann nennt sie ihn „doppelstöckiger Zwerg" oder „Einkäsehoch". Weil sie weiß, dass den Franz das kränkt. Der Franz ist nämlich für sein Alter ziemlich klein.

Gut streiten kann der Franz mit der Gabi

auch nicht. Weil er sich beim Streiten immer so aufregt, und wenn er sich aufregt, bekommt er eine Pieps-Stimme. Die Gabi tut dann, als verstehe sie kein Wort. „Pieps, pieps, pieps", spottet sie, „rede nicht in der Vogelsprache mit mir, ich bin kein Wellensittich."

Wenn die Gabi den Franz so verhöhnt, kann er nicht mal mehr piepsen. Dann bringt er überhaupt keinen Ton raus. Und die Gabi fragt kichernd: „Ist das jetzt die Heiße-Luft-Sprache?"

Aber die Gabi kann natürlich auch sehr lieb sein. Und sehr lustig. Viel lustiger als der Eberhard. Und langweilig ist es mit der Gabi nie. Außerdem muss der Franz mit der Gabi sowieso gut auskommen, denn nach der Schule bekommt er bei der Gabi-Mama Mittagessen und bleibt bei der Gabi, bis seine Mama von der Arbeit heimkommt.

Ein hundsgemein scharfer Ball

Beim Franz daheim ist am Nachmittag nur der Josef, und der hat die Wohnung gern für sich allein.

„Damit ich in aller Ruhe lernen kann", sagt er. In Wirklichkeit will er bloß in aller Ruhe CDs hören und Videos schauen und ewig lange telefonieren, und er mag es nicht, wenn sein kleiner Bruder das mitkriegt. Dabei kriegt der Franz das auch mit, wenn er bei der Gabi ist, denn die Wände zwischen den Wohnungen sind dünn, da hört man fast alles durch.

Aber der Franz würde seinen großen Bruder nie im Leben verpetzen. Wenn der Josef am Abend erzählt, dass er fixi-foxi-fertig ist, weil er den ganzen Nachmittag wie ein Büffel gelernt hat, sagt der Franz kein Sterbenswort dagegen.

Er bewundert den Josef sogar dafür und denkt: Wie schafft der das? Wird beim Lügen nicht rot, kommt nicht ins Stottern und sieht dabei so ehrlich aus wie ein Baby!
Der Franz bewundert den Josef überhaupt. Er würde schrecklich gern so groß, so stark, so mutig und so frech sein wie der Josef. Vor allem aber wäre er gern so ein Super-Fußballspieler wie der Josef.

Der Josef kickt nicht bloß mit den Buben
im Park herum, für die hat er nur ein
mildes Lächeln übrig. Er spielt in einem
echten Fußballverein in der Jugend-
Mannschaft. Und sein Trainer hat zum Papa
gesagt, dass der Josef ein großes Talent
ist und das Toreschießen im Blut hat.
Der Franz ist sich sicher, dass er das
Toreschießen auch im Blut hat.

Er findet es ungerecht, dass der Josef und der Papa sagen, er sei für den richtigen Fußballverein noch zu klein und zu schwach.

Wenn es nur nach Größe und Stärke ginge, denkt sich der Franz, müsste der Eberhard der beste Fußballspieler sein! Er ist aber der mieseste! Weil es eben nicht nur auf Größe und Stärke ankommt, sondern auch darauf, dass man wieselflink ist und mit Hirn spielt.

Doch der Franz hat sich damit abgefunden, dass das niemand kapiert. Ihm würde es reichen, im Mozart-Park mit den Buben aus seiner Klasse Fußball zu spielen.

Bis vor vier Wochen hat der Franz das auch getan. Bis zu dem dummen Sonntag, an dem er wacklig auf den Beinen war, weil er gerade eine Grippe überstanden hatte.

An diesem Sonntag hat ein hundsgemein scharfer Ball den Franz k.o. geschlagen. Er ist ihm gegen die Stirn gewummert, der Franz ist umgekippt und ohnmächtig auf dem Boden liegen geblieben.

Eine Frau hat mit ihrem Handy einen Rettungswagen gerufen. Der Franz ist aus der Ohnmacht erwacht, als das Rettungsauto mit lautem Tatütata in den Park gefahren ist, und er hat den Sanitätern versichert, dass er wieder okay ist und keine Hilfe braucht.

Aber ab diesem Sonntag sagten die Buben, dass sie den Franz beim Fußball nicht mehr dabeihaben wollen, weil er zu „mickrig" für ein „hartes Match" ist. Den Franz machte es traurig, dass die Buben nichts mehr von ihm wissen wollten, wenn sie im Mozart-Park die Teams zusammenstellten. Echt ungerecht fand er das, denn sogar der Josef sagte, dass das Unglück mit der Ohnmacht auch einem viel größeren, stärkeren Buben hätte passieren können. Er bot dem Franz sogar an, mit den Buben zu reden. Die hören auf ihn, sagte er. Die bewundern ihn, weil er in einem richtigen Verein spielt. Er wird es sicher hinkriegen, dass sie seinen kleinen Bruder wieder mitspielen lassen.

Aber der Franz wollte das nicht. Da hat er nämlich seinen Stolz! Gnadenhalber, nur seinem großen Bruder zuliebe, beim Fußballspielen geduldet zu sein, darauf kann er verzichten.

Und so sagte er zum Josef: „Bemüh dich nicht! Die sollen mir den Buckel runterrutschen!"

Der FC-Girl

Einmal sagte die Gabi beim Mittagessen
zum Franz: „Um drei Uhr gehe ich in den
Schubert-Park. Aber ohne dich."
Der Franz ließ den Suppenlöffel sinken,
starrte die Gabi verdutzt an und dachte:
Wir sind doch nicht zerstritten! Warum will
sie mich nicht mitnehmen?

„Acht Mädchen aus meiner Klasse", erklärte
die Gabi, „haben einen Fußballverein
gegründet, den FC-Girl. Wir treffen uns
heute im Schubert-Park zum ersten Training."
„Warum denn im Schubert-Park?", fragte
die Gabi-Mama. „Der Mozart-Park ist doch
näher und schöner."

„Weil die Buben aus der Klasse vom Franz den Platz im Mozart-Park immer besetzt halten und wir uns nicht mit ihnen streiten wollen", sagte die Gabi zu ihrer Mama.

Dann fragte sie den Franz: „Na, wie findest du unseren FC-Girl?"

Der Franz zuckte mit den Schultern, hob den Suppenlöffel wieder und löffelte drauflos. Über Fußball redete er nicht gern, seit ihn die Buben beim Fußballspielen nicht dabeihaben wollten. Er hat eben seinen Stolz! Niemand brauchte zu wissen, wie traurig und gekränkt er war.

Weil die Gabi keine Antwort bekam, boxte sie den Franz in die Rippen und rief: „He, bist du stumm geworden?"

„Aua-au, aua-au!", wimmerte der Franz, ließ den Suppenlöffel fallen und presste beide Hände auf die Rippen. Obwohl die Gabi nicht fest geboxt hatte und ihm die Rippen

nicht wehtaten. Aber wer wimmert, braucht
auf lästige Fragen keine Antwort zu geben.
„Sei nicht so wehleidig", rief die Gabi.
„Du bist echt ein Prinz auf der Erbse!"
Und die Gabi-Mama rief: „Lass den Franz
in Frieden!"
Die Gabi knallte ihren Suppenlöffel auf den
Tisch und schrie: „Immer hältst du zu ihm!"

Dann sprang sie auf, rannte in ihr Zimmer und knallte die Tür ins Schloss.

Die Gabi-Mama sagte: „Nach der Suppe gibt's Schnitzel. Schnitzel lässt sie sich nicht entgehen, sie wird gleich zurückkommen!"

Die Gabi ließ sich ihr Schnitzel wirklich nicht entgehen. Sie kam in die Küche, packte sich ihr Schnitzel auf einen Teller und marschierte wieder ab.

Der Franz musste sein Schnitzel allein essen. Dann half er der Gabi-Mama das schmutzige Geschirr in die Spülmaschine zu tun. Nachher machte er am Küchentisch seine Rechenhausaufgaben.

Als er mit der letzten Aufgabe fertig war,
kam die Gabi wieder aus ihrem Zimmer.
Vom Scheitel bis zu den Knöcheln in Lila.
Lila Stirnband, lila T-Shirt, lila Shorts, lila
Kniestrümpfe.

„Ist Lila eure Club-Farbe?", fragte der Franz
und dachte: Wenn sie antwortet, ist sie
nicht mehr beleidigt.
Bei der Gabi ist das mit dem Beleidigtsein
verschieden. Manchmal dauert es ewig
lange, manchmal geht es schnell vorüber.

Die Gabi sagte: „Ich hätte lieber Pink gehabt, aber die Sandra hat gemeint, dass Pink nach Strampelhosen-Baby aussieht."

„Stimmt!", sagte der Franz. „Pink und Fußball passen nicht zusammen."

Die Gabi rief: „Tschüss!", und marschierte zur Tür raus.

Die Gabi-Mama setzte sich zum Franz, kontrollierte seine Rechenaufgaben und fragte: „Willst du dem FC-Girl nicht beim Training zuschauen?"

„Ich weiß nicht, ob die Gabi das will", sagte der Franz.

„Na, hör mal", sagte die Gabi-Mama, „ein Park ist für alle da. Wer im Park Fußball spielt, kann sich die Zuschauer nicht aussuchen."

„Stimmt!", sagte der Franz, steckte Heft und Stift in die Schultasche und dampfte ab.

Der Franz hilft aus

Um zum Ballspielplatz zu kommen, musste
der Franz quer durch den Schubert-Park
laufen. Auf halbem Weg kam ihm der Peter
aus dem Nachbarhaus entgegen und sagte:
„Beim Käfig ist Rambazamba!"
(Den Ballspielplatz nennen die Kinder
„Käfig", weil er einen hohen Gitterzaun
rundum hat.)

21

„Was ist Rambazamba?", fragte der Franz.

„Ein Tohuwabohu", sagte der Peter.

„Was ist ein Tohuwabohu?", fragte der Franz.

„Wenn der Bär los ist", sagte der Peter.

Das verstand der Franz endlich.

„Wieso ist der Bär los?", fragte er den Peter.

„Die Gabi und ein paar Mädchen wollen in den Käfig rein", erklärte der Peter, „aber

die großen Buben, die drin sind, gehen
natürlich nicht raus." Dann lief der Peter
weiter.

Der Franz lief auch weiter und dachte: Das
ist doch immer und in jedem Park so!
Wenn große Buben auf dem Platz sind,
spielen sie, so lange sie wollen. Daran wird
sich auch der FC-Girl gewöhnen müssen.
Gegen die großen Buben kommt niemand
an, die sind in allen Parks die Kaiser!

Als der Franz zum Ballspielplatz kam,
merkte er, dass er falsch gedacht hatte.
Acht lila Mädchen hockten im Käfig auf
dem Boden, im Schneidersitz, die Arme
über der Brust verschränkt. Ein paar große
Buben standen im Kreis um die Mädchen
rum und glotzten dumm.
Die Gabi rief: „Wir haben genauso ein
Recht auf den Platz wie ihr!"
Die Sandra rief: „Wir weichen nicht!"
Dann riefen alle acht Mädchen im Chor:

„Jetzt sind wir dran! Jetzt sind wir dran!"
Einer der großen Buben schrie: „Raus!"
Die Gabi schrie: „Wenn ihr uns rauskriegen
wollt, müsst ihr uns wegtragen!"
„Wird sofort erledigt!", sagte der Bub
grinsend. Er bückte sich und griff nach der
Gabi. Kaum hatte er sie gepackt, ließ er
sie wieder los und schrie: „Spinnst du
komplett?"
Die Gabi hatte ihn in die Hand gebissen!
Die anderen großen Buben besahen die
gebissene Hand. Ein rosaroter Ring war auf
dem Handrücken, und im rosaroten Ring
waren blutrote Punkte.

Ein Bub sagte: „Das Biest hat
Haifischzähne!" Ein anderer: „Die dürfte nur
mit Beißkorb aus dem Haus!"
Und ein dritter: „Hoffentlich hat sie nicht
die Tollwut!"
Der Franz stand vor dem Gitterzaun und
hielt den Atem an. Er hatte Angst um
die Gabi. Er dachte: Gleich wird ihr der
gebissene Bub eine knallen!
Doch da sagte der größte der großen
Buben: „Okay, überlassen wir ihnen den
Platz für eine Stunde. Oder wollt ihr
euch mit bissigen kleinen Ungeheuern
prügeln?"
Das wollte anscheinend keiner der großen
Buben. Sie schimpften noch ein bisschen
rum, dann zogen sie aus dem Käfig
ab.
Die Gabi rief ihnen nach: „Eine Stunde ist
zu wenig, wir brauchen zwei!"

Der Franz setzte sich auf die Bank vor dem Käfig. Er konnte nicht fassen, dass die großen Buben einfach abmarschiert waren. Das hatten sie noch nie getan. Egal, ob man sie angeschrien oder lieb gebeten hatte, sie waren geblieben.

Der Franz dachte: Es muss daran liegen,

dass es um Mädchen geht. Hätten Buben den Käfig besetzt, wären sie rausgeprügelt worden, bevor einer von ihnen hätte zubeißen können. Mädchen haben es eben leichter im Leben!

Eine halbe Stunde hockte der Franz auf der Bank und wartete auf das Training des FC-Girl. Er wartete vergeblich. Schuld daran war die Uschi.

Die Uschi ist ein großes, dickes Mädchen, das aussieht wie der Eberhard mit Zopf-Perücke.

Immer wenn die anderen anfangen wollten zu spielen, rief die Uschi: „Moment, mir ist noch was unklar!"

Und dann fragte sie, ob die Torwartinnen zum Tor der Gegner laufen und ein Tor schießen dürfen? Ob es auch ein Foul ist, wenn man unabsichtlich rempelt? Ob man den Ball wirklich nie mit den Händen berühren darf? Ob es als Treffer gilt, wenn man irrtümlich ins eigene Tor ballert? Und was man tun soll, wenn man vom Rennen Seitenstechen kriegt?

Sie fragte so lange, bis der Gabi der Geduldsfaden riss und sie schrie: „Uschi, du bist blöder, als die Polizei erlaubt!"

„Das brauche ich mir nicht gefallen zu lassen", schniefte die Uschi und rannte aus dem Käfig. Auf die Wiese rannte sie und warf sich heulend ins Gras.

Dem Franz tat die Uschi leid. Er wollte zu ihr gehen und sie trösten. Aber da kamen die Gabi und die Sandra aus dem Käfig und setzten sich zu ihm.

Die Gabi sagte: „Dich hat der Himmel geschickt!"

„Sieben Spieler für zwei Mannschaften sind nämlich zu wenig", sagte die Sandra.

„Übt Tore schießen", schlug der Franz vor.

„Tore schießen haben wir bei der Sandra im Hof lange genug geübt", sagte die Gabi.

„Du musst für die Uschi einspringen", sagte die Sandra.

„Ich spiel doch nicht in einem Mädchen-Team!" Der Franz schüttelte den Kopf.

„Warum nicht?", fragte die Gabi.

„Deshalb", sagte der Franz.

„Deshalb, deshalb", äffte ihn die Gabi nach. „Sag doch gleich, dass du uns für Fußball-Nieten hältst."

Der Franz zuckte mit den Schultern und dachte: Sie soll ruhig glauben, dass ich Mädchen für Fußball-Nieten halte! Den wahren Grund versteht sie sowieso nicht! Der wahre Grund war, dass der Franz immer noch Angst hat, für ein Mädchen

gehalten zu werden. Das ist ihm nämlich
früher oft passiert. Wegen seinen blonden
Locken, seiner Stupsnase, seinen
veilchenblauen Augen und seinem
Herzkirschenmund haben fremde Leute
„Servus, kleines Mädchen" zu ihm gesagt
oder „Hallo, Kleine".
Und das hat ihn fuchsteufelswild
gemacht!
Seit die Nase vom Franz gewachsen ist,
passiert das nicht mehr, aber er ist
trotzdem auf der Hut. Er will nichts tun,
was ihn in die Gefahr bringt, für ein
Mädchen gehalten zu werden. Und wer in
einem Mädchen-Fußball-Team spielt, der
begibt sich in diese Gefahr.
„Franz", gurrte die Sandra, „tu uns den
kleinen Gefallen."
„Franz", schnurrte die Gabi, „lass uns nicht
im Stich!"

Da dachte der Franz: Lust zu spielen hätte ich. Beibringen könnte ich den Anfängerinnen auch allerhand. Und lila angezogen bin ich ja nicht. Jeder, der vorbeigeht, muss merken, dass ich nicht wirklich zum Verein gehöre! Also sagte der Franz: „Na gut!"

Die Gabi und die Sandra sprangen auf und zogen den Franz in den Käfig. „Ich bin die Kapitänin der einen Vierermannschaft", erklärte die Gabi.

„Die Sandra ist die Kapitänin der anderen. Du gehörst klarerweise zu meiner Mannschaft!"

„Kommt überhaupt nicht infrage!", rief die Sandra. „Der Franz spielt statt der Uschi, und die Uschi war in meiner Mannschaft, also gehört der Franz zu mir!"

„Statt der Uschi geb ich dir die Evi ab", sagte die Gabi. „Weil der Franz nur mitspielt, wenn er in meiner Mannschaft sein kann." Sie blinzelte dem Franz zu. Das sollte heißen: Gib mir Recht!

Die Sandra rief: „Kein Wort hat er davon gesagt. Das behauptest du einfach! Aber es muss nicht immer nach deinem Kopf gehen!"

„Franz, sag ihr, dass ich recht habe!", rief die Gabi.

Der Franz ist meistens bereit, der Gabi recht zu geben. Weil er nicht streiten will. Aber nun musste er doch widersprechen. Er schaffte es sogar ohne Gepiepse.

„Wenn die Uschi zum Sandra-Team gehört hat", sagte er, „ist irgendwie klar, dass ich bei der Sandra spiele."

„Na eben!", rief die Sandra.

„Blödmann!", zischte die Gabi dem Franz
zu. Und zur Sandra sagte sie: „Ist mir
sowieso schnurzpiepegal, bei wem der
doppelstöckige Zwerg spielt."
Na warte, dachte der Franz. Du wirst
schon merken, dass es nicht
schnurzpiepegal ist, bei wem ich spiele!
Der Franz legte sich mächtig ins Zeug. Er
schoss ein Tor nach dem anderen gegen
das Gabi-Team. Aber je mehr Tore er

schoss, umso unfairer wurde die Gabi.
Sie rempelte den Franz an, trat ihm auf
die Zehen und versuchte ihm ein Bein
zu stellen. Jeder Schiedsrichter hätte sie
vom Platz gejagt. Aber leider war kein
Schiedsrichter da.

Nach einer Stunde hatte das Sandra-Team
neunzehn Tore geschossen (fünfzehn davon
der Franz) und das Gabi-Team acht.

Die Gabi wollte unbedingt weiterspielen.

„Euren Vorsprung holen wir in der nächsten Viertelstunde spielend auf", schnaufte sie. Aber die Sandra, die Hanna und die Maria mussten heim. Und dem Franz reichte es auch! Müde war er zwar noch nicht, aber er hatte es satt, sich dauernd von der Gabi anrempeln und treten zu lassen.

Auf dem Heimweg vom Schubert-Park beklagte sich der Franz bei der Gabi: „Du spielst wie eine Wildsau. Ich bin voll blauer Flecken."

Die Gabi sagte: „Übermorgen, wenn wir wieder trainieren, spielst du einfach in meinem Team, dann kriegst du von mir keinen Tritt ab."

„Ich bin nur eingesprungen", rief der Franz,
„das war eine Ausnahme!"
„Wir brauchen dich aber", rief die Gabi.
„Wieso?" Der Franz sah die Gabi böse an.
„Ob ein doppelstöckiger Zwerg bei euch
spielt oder nicht, ist doch schnurzpiepegal!"
„Sei nicht nachtragend", gurrte die Gabi.
„Ich war wütend. Aber du spielst echt
super. Wir brauchen dich als Vorbild."
Das schmeichelte dem Franz zwar, aber er
blieb hart. „Kommt gar nicht in Frage",
sagte er. „Mit mir kannst du nicht rechnen."

Der Franz bekommt ein Problem

Zwei Tage später trabte der Franz wieder mit der Gabi zum Fußballplatz im Schubert-Park. Weil er eben nie lange hart bleiben kann, wenn die Gabi ihn um etwas bittet.

Am Montag der nächsten Woche dachte er: Wenn ich zweimal mit den Mädchen gespielt habe, kann ich es auch ein drittes Mal tun!

Zwei Tage danach sagte er sich: Jetzt habe ich zweimal im Sandra-Team gespielt, aber erst einmal im Gabi-Team, also muss ich gerechterweise zum Ausgleich noch mal im Gabi-Team spielen.

Und in der Woche drauf kam es dem Franz schon ganz normal vor, im FC-Girl Fußball zu spielen. Einmal im Sandra-Team, einmal im Gabi-Team. Aber dass er mit den Mädchen im Schubert-Park trainierte und nicht im Mozart-Park, wo jeden Nachmittag die Buben aus seiner Klasse waren, fand der Franz trotzdem gut.

Und zum Eberhard sagte er: „Ist aber nicht nötig, dass du in der Klasse erzählst, dass ich mit den Mädchen spiele."

Und der Eberhard sagte drauf: „Gott behüte. Sonst nennen sie dich in der Klasse ab sofort nicht mehr Franz, sondern Franziska."

Zwei Wochen vor den Sommerferien dann, als der Franz beim Papierkorb stand und seine Buntstifte spitzte, kamen der Tommi und der Peppo vom Klo in die Klasse zurück. Der Tommi und der Peppo gelten als die besten Fußballspieler der 2b.

Der Tommi rief: „Die Gänse aus der 2a haben einen Fußball-Club gegründet!"

„Und die Gabi-Gans", rief der Peppo, „hat gesagt, dass sie jederzeit bereit sind, gegen uns Buben anzutreten!"

„Und dass sie uns eine Niederlage bescheren werden!", rief der Tommi lachend.

„Die spinnen ja, die Weiber!", riefen ein paar Buben.

„Wir haben das Match für Mittwoch um drei Uhr im Mozart-Park verabredet", sagte der Peppo grinsend. „Da werden wir den Gänsen zeigen, wo der Bartl den Most holt!"

Dann überlegten der Tommi und der Peppo, wen sie in der Mannschaft gegen die 2a-Mädchen aufstellen sollten. Auf die Idee, den Franz zu nehmen, kamen sie natürlich nicht. Nicht mal als Reserve-Spieler!

Der Franz ging mit den gespitzten Buntstiften zu seinem Pult und setzte sich.

„Und was ist jetzt?", fragte ihn der Eberhard leise. „Wirst du mit den 2a-Mädchen gegen unsere Buben spielen?"

„Bist du verrückt?", rief der Franz entsetzt. „Kommt doch überhaupt nicht in Frage!" Und das meinte er auch so.

Ehren-Doktor, Ehren-Bürger ...

Weil der Franz glockenhell und engelrein singt, muss er immer am Freitag nach der letzten Stunde mit dem Schulchor üben. Und weil die Gabi und der Eberhard so grausig singen, dass sie im Schulchor nichts verloren haben, muss der Franz am Freitag allein von der Schule heimgehen. Doch an diesem Freitag warteten die Gabi und die Sandra vor dem Schultor auf ihn.

„Wir müssen ab sofort jeden Tag trainieren", sagte die Gabi total aufgeregt.

„Drei Stunden täglich wenigstens", sagte die Sandra.

„Damit wir es den Schnöseln zeigen", sagte die Gabi.

Der Franz räusperte sich. „Mit wie vielen Spielern wollt ihr antreten?", fragte er.

„Wir haben uns noch nicht festgelegt", sagte die Gabi.

„Das wollten wir mit dir besprechen", sagte die Sandra.

Der Franz sagte: „Einigt euch auf sechs pro Team. Dann muss die Maria nicht spielen, die wäre euch bloß ein Klotz am Bein."

Die Gabi sagte: „Ohne Maria sind wir sieben. Sechs Mädchen und du!"

Der Franz räusperte sich wieder. Seine Stimme war trotzdem piepsig, als er sagte:

„Gegen die Buben kann ich wirklich nicht mit euch spielen."
Dann rannte er die Straße runter, nach Hause. Dabei dachte er: Ich streite mit der Gabi lieber erst, wenn ihre Mama dabei ist. Die hilft mir!

Die Gabi-Mama musste dem Franz nicht helfen. Die Gabi war lammfromm, als sie heimkam, kein bisschen streitsüchtig.

„Du hast recht", sagte sie beim Mittagessen zum Franz. „Wenn es beinhart Mädchen gegen Buben geht, passt kein Bub ins Mädchen-Team!"
Der Franz nickte, wickelte Spaghetti um seine Gabel und freute sich.

Am Samstagvormittag fuhr der Franz mit dem Papa zur Oma ins Altersheim. Als er heimkam, sagte die Mama: „Die Gabi wartet auf dich."
„Warum?", fragte der Franz erstaunt.

An den Wochenenden sind der Franz und die Gabi nur selten zusammen. Mehr als fünf Tage pro Woche zusammen zu sein, würde die beste Freundschaft nicht aushalten.

„Keine Ahnung", sagte die Mama, „sie hat bloß gesagt, dass sie das Problem gelöst hat."

Der Franz wieselte zur Gabi rüber. Der Gabi-Papa öffnete ihm die Tür.

„Die Damen sind im Wohnzimmer", sagte er.

„Die Damen?", staunte der Franz und ging ins Wohnzimmer.

Auf der großen Sitzbank hockten die Gabi und die Sandra und die restlichen FC-Girls.

Die Gabi sah sehr vergnügt aus. In den Händen hielt sie ein aufgerolltes Blatt Papier.

„Welches Problem hast du gelöst?", fragte der Franz die Gabi.

„Eigentlich hat es meine Schwester gelöst", sagte die Sandra. „Die ist nämlich echt oberschlau."

Die Gabi fragte: „Weißt du, was ein Ehren-Doktor ist?"

Der Franz schüttelte den Kopf.

„Wenn jemand was Tolles leistet", erklärte die Gabi, „kann ihn die Universität zum Ehren-Doktor machen, auch wenn dieser Jemand gar nicht studiert hat."

„Aha", sagte der Franz.

„Und wenn jemand für eine Stadt was Tolles getan hat", sagte die Sandra, „kann ihn die Stadt zum Ehren-Bürger machen. Auch wenn dieser Jemand gar nicht in dieser Stadt wohnt."

„Aha", sagte der Franz.

„Du hast für den FC-Girl sehr viel getan", sagte die Gabi, entrollte das Blatt Papier und las vor, was darauf geschrieben stand:

„Der FC-Girl ernennt Franz Fröstl für seine großen Verdienste um den Mädchen-Fußball zum Ehren-Mädchen!" Und dann sagte sie: „Hiermit überreiche ich dir feierlich die Ehren-Urkunde." Sie drückte dem Franz das Blatt Papier in die Hände.

„Als Ehren-Mädchen", sagte die Sandra, „kannst du nämlich jederzeit im Mädchen-Team spielen!"

Der Franz stammelte: „Danke", und raste aus der Gabi-Wohnung, als ob der Teufel hinter ihm her wäre.

Daheim angekommen, lief er in die Küche und warf die Ehren-Urkunde in den Müll. Der Papa, die Mama und der Josef saßen am Küchentisch und pulten Erbsen aus den Schoten. Der Papa stand auf, ging zum Mülleimer, seufzte, zog die Urkunde aus dem Mist und sagte: „Papier gehört in den Altpapierkorb!"

Dann sah er sich das zerknautschte, bekleckerte Blatt an und fragte: „Warum wirfst du das weg?"

„Weil ich kein Ehren-Mädchen sein will!", sagte der Franz.

Er wollte dem Papa die Urkunde wegnehmen, aber der Papa hielt sie fest und las der Mama und dem Josef vor, was auf der Urkunde stand.

Der Franz machte ein Gesicht, als hätte er gerade eine Baumwanze zerbissen.

Die Mama sagte: „Das hat der FC-Girl aber sehr nett geschrieben. Da wäre ich doch stolz drauf."

53

Der Franz sagte: „Sie wollen, dass ich mit ihnen gegen die Buben spiele!"

„Na und?", fragte der Josef. „Du trainierst doch seit Monaten mit ihnen."

„Aber im Schubert-Park!", sagte der Franz. „Wo kein Bub aus meiner Klasse hingeht, wo mich keiner gesehen hat."

Die Mama rief: „Du tust ja so, als wäre es eine Schande, mit Mädchen zu spielen!"

„Weil ich nicht will, dass sie ab Mittwoch Franziska zu mir sagen!", rief der Franz.

Der Papa sagte: „Wenn sie das täten, wären sie Deppen. Und um das, was Deppen sagen, braucht man sich nicht zu kümmern!"

„So ist es!", sagte die Mama.

„Ihr habt leicht reden", schluchzte der Franz, riss dem Papa die Urkunde aus der Hand und lief in sein Zimmer.

Der Franz warf sich aufs Bett und dachte:

Ich werde krank! Wer krank ist, kann nicht
spielen! Gerade als er überlegte, ob in dem
Fall ein verstauchter Knöchel die beste
Lösung wäre, kam der Josef ins Zimmer.
„An deiner Stelle", sagte er, „würde ich es
den Blödmännern zeigen! Denen würde ich
Tore schießen, dass sie das große Zittern
kriegen!"

„Echt?", fragte der Franz.

„Echt", sagte der Josef. „Wetten, dass sie dann angekrochen kommen und dich wieder mitspielen lassen?"

„Meinst du?", fragte der Franz.

„Meine ich!", sagte der Josef. „Nur wenn du spielst, können sie doch merken, dass du superspitzenmäßig was draufhast!"

„Hab ich denn superspitzenmäßig was drauf?", fragte der Franz.

„Na klar!", sagte der Josef. „Du bist schließlich mein Bruder."

Knapp vor dem Einschlafen überlegte der Franz noch hin und her, ob er tun sollte, was ihm der Josef geraten hatte.

In der Nacht dann hatte der Franz einen herrlichen Traum. Im Traum spielte er mit dem FC-Girl gegen die Buben aus seiner Klasse. So superspitzenmäßig spielte er, dass die Zuschauer unentwegt „Franz, Franz, Franz" brüllten, ihn anfeuerten und ihm zujubelten.

Nach dem Match gratulierten ihm sogar die Gegner, und der Tommi und der Peppo sagten, er sei einsame Klasse und werde hoffentlich ab jetzt wieder zwei- oder dreimal die Woche mit ihnen spielen. Dann hoben sie den Franz hoch, setzten ihn auf ihre Schultern und trugen ihn eine Runde um den Spielplatz.

Ganz glücklich war der Franz, als ihn die Mama am Morgen weckte. Beim Zähneputzen war er noch immer glücklich und beim Frühstück dachte er: Im Traum liegt die Wahrheit, ich mach's!

Das Match wird super

Am Sonntag trainierte der Franz mit dem FC-Girl den ganzen Vormittag. Am Montag und am Dienstag den ganzen Nachmittag. Und am Mittwoch, zehn Minuten vor drei Uhr, marschierte er mit sechs 2a-Mädchen in den Mozart-Park.

Die sieben 2b-Buben staunten nicht schlecht, als sie den Franz zwischen den lila 2a-Mädchen sahen.

Der Tommi rief: „Was soll das? Ich dachte, wir spielen gegen ein Mädchen-Team!"

„Sowieso!", sagte die Gabi. „Sechs normale Mädchen und ein Ehren-Mädchen!"

„Was soll denn ein Ehren-Mädchen sein?", rief der Tommi. „So was gibt's doch gar nicht!"

Bevor ihm die Gabi erklären konnte, was ein Ehren-Mädchen ist, sagte der Peppo grinsend zum Tommi: „Lass nur, ist doch gut, wenn das Fliegengewicht mitspielt. Mickrige Gegner können uns nur recht sein."

Und so sagte der Tommi: „Okay, dann fangen wir an!"

60

Der Franz spielte nicht ganz so gut wie in seinem Traum. Aber immerhin so gut, dass er sechs Tore gegen das Buben-Team schoss und damit ein 8:8-Unentschieden rausholte. (Ein Tor schoss die Gabi, eines die Sandra.)

Piff-paff waren die 2b-Buben, dass sie gegen den FC-Girl bloß ein Unentschieden geschafft hatten.

Der Tommi rief: „Das gilt nicht! Weil der Franz kein Mädchen ist! Und ohne ihn hättet ihr haushoch verloren!"

„Das gilt schon", rief die Gabi, „weil ihr vorher einverstanden wart!"

Und fast alle Kinder, die dem Match zugeschaut hatten, riefen: „Stimmt genau! Stimmt genau!"

„Stimmt nicht!", rief der Tommi. „Weil der Franz seit eh und je zu unserem Team gehört!"

„Er war bloß vorübergehend beurlaubt!", rief der Peppo. „Weil er ... weil er ... weil er ... sich von seiner Gehirnerschütterung erholen musste."

Der Franz hatte lange darauf gewartet, von den beiden wieder zum Mitspielen eingeladen zu werden. Und seit letztem Freitag hatte er wie verrückt dafür trainiert. Also hätte er nun sehr, sehr glücklich sein müssen. War er aber ganz und gar nicht!

Er dachte: Die sind so was von verlogen. Und dazu noch gemein! Weil ich gerade gut war, wollen sie mich. Und wenn mich zufällig wieder mal ein Ball umhauen würde, wäre ich gleich der letzte Dreck! Dann räusperte sich der Franz und sagte mit einem winzigen Pieps in der Stimme:

„Tut mir leid, ich gehöre zum FC-Girl!"
Und dann geschah, was der Franz
schon im Traum erlebt hatte: Er wurde
hochgehoben und unter viel Gejubel um
das Spielfeld getragen. Bloß waren es nicht
die Schultern vom Tommi und vom Peppo,
auf denen er saß, sondern die von der
Gabi und der Sandra.